Texte et illustrations **David Shannon**
Traduction **Geneviève Hébert**

pour Bonnie

Après la pluie

 Les 400 coups

Nous remercions le Conseil des Arts du Canada de l'aide accordée à notre programme de publication et la SODEC pour son appui financier en vertu du Programme d'aide aux entreprises du livre et de l'édition spécialisée.

Nous reconnaissons l'aide financière du gouvernement du Canada par l'entremise du Programme d'aide au développement de l'industrie de l'édition (PADIÉ) pour nos activités d'édition.

Après la pluie a été publié sous la direction d'Yves Nadon.

Conception graphique : **Tatou** communication visuelle
Traduction : Geneviève Hébert
Révision : Micheline Dussault
Correction : Éric Massé

Diffusion au Canada
Diffusion Dimedia inc.
539, boulevard Lebeau
Saint-Laurent (Québec)
H4N 1S2

Diffusion en Europe
Le Seuil

Édition originale *The rain came down*
© 2000, The blue sky press
Scholastic Inc., New York,
David Shannon (texte et illustrations)

© 2003, David Shannon
et les éditions Les 400 coups pour l'édition en langue française

Dépôt légal — 1ᵉʳ trimestre 2004
Bibliothèque nationale du Québec
Bibliothèque nationale du Canada

ISBN 2-89540-172-1

Loi 49-956 du 16 juillet 1949 sur les publications destinées à la jeunesse.

3

Samedi matin, la pluie surprit les poules qui se mirent à glousser.

Ce qui alarma le chat et fit aboyer le chien.
C'était la panique !

Et toujours, la pluie tombait.

Le père de famille gronda le chien et réveilla bébé qui dormait.
« Mais arrêtez ce raffut ! » cria la mère.

7

Le chien jappait de plus belle.
Et toujours, la pluie tombait.

Un policier entendit les cris.
Il s'arrêta pour vérifier ce qui n'allait pas.

Sa voiture immobilisait le trafic. Un pâté de maisons plus loin,
une femme monta à la hâte dans un taxi.

« Vite ! Vite ! Je vais manquer mon avion ! » ordonna-t-elle.
Mais le chauffeur ne pouvait que klaxonner.

Devant lui, le camionneur se fâcha et klaxonna à son tour :
« Moi aussi je suis pressé : j'ai des tomates à livrer ! »

Pour couvrir le vacarme des klaxons, le glacier monta le volume de la radio.
Les flonflons de la musique se mêlèrent au flap flap des essuie-glaces.

Et toujours, la pluie tombait.

Ce tintamarre fit sortir l'esthéticienne de son salon de beauté.
Elle se heurta au barbier qui, lui aussi, se demandait d'où venait tout ce bruit.
Une dispute s'ensuivit.

Du haut de son échelle, le peintre en bâtiment grommela : « Comment voulez-vous que je travaille sous la pluie ? » En descendant de l'échelle, le pot de peinture vint frapper la tête du barbier. Ils étaient maintenant trois à se disputer.

Quelques instants plus tard, le boulanger sortit de sa boutique.
« Il y a une fuite dans le toit et il pleut sur mes gâteaux ! » ronchonna-t-il. Il ouvrit son parapluie et accrocha le nez du pizzaïolo. Leurs cris se mêlèrent à la cohue générale

17

Un garçon qui courait après son bateau dans le caniveau, arrosa sur son passage une petite fille. Trempée, elle se mit à pleurer. Et toujours, la pluie tombait.

L'épicier apparut sur le trottoir et s'écria : « Où est donc passé le camion de livraison avec mes tomates ? » Une femme qui sortait d'un magasin les bras chargés de paquets fonça tout droit dans le présentoir de fruits.

Des oranges, des pommes et des citrons roulaient sur le trottoir.
Et toujours, la pluie tombait.

Le policier retourna à son auto. « Mais d'où vient tout ce boucan ? » s'interrogea-t-il.
Des cris, des coups de klaxon, des aboiements s'élevaient dans tout le voisinage.

 Puis tout à coup...

La pluie cessa.

Ainsi que le bruit. Le soleil sortit de sa cachette et l'air devint bon et frais.
Tout scintillait et un arc-en-ciel s'étirait par-dessus les toits.

«Il fait trop beau pour se disputer ! » dit le boulanger. « Et j'ai du boulot ! »
— Moi aussi ! » s'exclama le pizzaïolo.

25

« Pourriez-vous me faire la barbe pendant que les murs sèchent ? »
demanda le peintre au barbier.
« Avec plaisir ! » répondit celui-ci. Et ils s'installèrent.

« Tout rentre dans l'ordre ! » s'exclama le policier.

27

Il remonta dans sa voiture.

La cliente du taxi décida qu'elle avait le temps de se faire maquiller avant de partir et elle suivit l'esthéticienne au salon.

Alors la dame avec ses paquets en profita pour monter dans le taxi
et rentrer chez elle.

Le camionneur rassura l'épicier : « Les voilà, vos tomates ! »
— Parfait ! » répondit l'épicier. « Mais je dois d'abord ramasser tous ces fruits. »

La petite fille et le garçon aidèrent l'épicier, qui en retour, paya à chacun une glace.
Le glacier leur offrit une boule de plus en l'honneur de cette merveilleuse journée.

Le papa, la maman et le bébé profitèrent du beau temps pour pique-niquer dans la cour tandis que le chien, le chat et les poules roupillaient sagement au soleil.